"亮丽内蒙古"文化普及口袋书

U0102869

味蕾盛宴

田宏利 ◎ 编著

内蒙古人民出版社

图书在版编目（CIP）数据

爱上内蒙古．味蕾盛宴 / 田宏利编著．— 呼和浩特：内蒙古人民出版社，2021.10

（"亮丽内蒙古"文化普及口袋书）

ISBN 978-7-204-16899-6

Ⅰ．①爱… Ⅱ．①田… Ⅲ．①内蒙古—概况②饮食—文化—内蒙古 Ⅳ．① K922.6 ② TS971.22

中国版本图书馆 CIP 数据核字（2021）第 216399 号

爱上内蒙古·味蕾盛宴

作　　者	田宏利	
策划编辑	王　静	
责任编辑	王　曼	
封面设计	吉　雅	
出版发行	内蒙古人民出版社	
地　　址	呼和浩特市新城区中山东路 8 号波士名人国际 B 座 5 楼	
网　　址	http：//www．impph．cn	
印　　刷	内蒙古恩科赛美好印刷有限公司	
开　　本	889mm×1194mm　1/48	
印　　张	2.375	
字　　数	45 千	
版　　次	2021 年 10 月第 1 版	
印　　次	2023 年 2 月第 1 次印刷	
书　　号	ISBN 978-7-204-16899-6	
定　　价	10.00 元	

如发现印装质量问题，请与我社联系。

联系电话：（0471）3946120

编 委 会

主　　编：戚向阳

执行主编：王　静

编　　委：樊志强　杨国华　李　欢
　　　　　梁天超　李淑兰

摄　　影：田宏利　田　原

开 电子书库 📖

阅读本丛书全部电子书，全方位了解内蒙古。

看 纪录片 ▶

从影视作品中了解内蒙古的历史文化。

赏析 蒙古族长调艺术 ♪

聆听蒙古族长调民歌，带你领略蒙古族音乐的独特魅力。

旅行交流圈

聊聊你眼中的内蒙古。

微信扫码

扫码查看
★ 同系列电子书
★ 内蒙古纪录片

序

　　内蒙古是一个走进去就会爱上她的地方。

　　这里有辽阔壮美的天然草原——呼伦贝尔草原无边无际，科尔沁草原绿草如茵，鄂尔多斯草原草长莺飞，阿拉善荒漠草原苍茫神秘；有我国面积最大的原始林区——大兴安岭林海莽莽苍苍，美景如画；有生态类型多样的世界地质公园——阿尔山世界地质公园里有亚洲面积最大的火山地貌景观，克什克腾世界地质公园是我国北部环境演化的自然博物馆，阿拉善沙漠世界地质公园中的沙漠景观、戈壁景观、峡谷景观和风蚀地貌景观交相辉映。

　　这里也是"歌的海洋""酒的故乡""舞蹈的天堂"——一首首歌曲犹

如一泓清澈的甘泉，从苍茫遥远的天边流泻而来；一杯杯美酒醇香甘甜，醉人心田；一支支舞蹈激情澎湃地舞动着青春的活力，舞动着生命的力量。这里还有丰富多样、风味独特的美食佳肴，有悠久灿烂的地域文化及独具魅力的民俗风情，有蒙汉合璧、别具匠心的宏伟建筑，有革命历史文化底蕴深厚的庄严肃穆的红色旅游胜地……

这些都是内蒙古以昂然之姿向世人展示自己的美丽的底气。这套《"亮丽内蒙古"文化普及口袋书》策划的初心和使命，就是从自然景观、人文景观、民俗文化、地域文化、饮食文化及红色旅游、城区建设等多个方面展现内蒙古自治区的亮丽风采以及各族人民在中国共产党的正确领导下，始终坚定地沿着中国特色社会主义道路奋勇前进，共同团结奋斗、共同繁荣发展的崭新时代风貌。

假如这般如诗如画的美景和悠久璀璨的历史文化还不足以打动你，那么，请到内蒙古来吧，生活在这片土地上的勇敢、诚信、友善的各族人民将带你深入领略内蒙古经济发展、社会进步、文化繁荣、民族团结、边疆安宁、生态文明、人民幸福的亮丽风景线，为你提供 N 个爱上内蒙古的理由。

扫码查看
★ 同系列电子书
★ 内蒙古纪录片

目 录

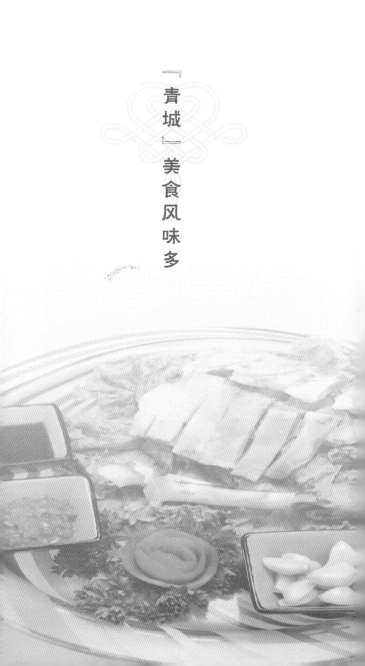

「青城」美食风味多

扫码查看
★ 同系列电子书
★ 内蒙古纪录片

　　想要了解这片土地以及在这片土地上生活的人，最简单的方法就是先了解当地的美食。一道具有本地特色的美食，与当地的人文历史和独到的烹饪技术是分不开的。同时，一道具有地方特色的

手把羊肉

美食也会烙上这个地方的自然地理、气候条件、资源特产、饮食习惯等印记，当你在品尝它的时候，也会品尝出一种属于那里的独有味道。

呼和浩特铁路交通网络的快速发展促进了城市经济和城市建设的发展，也促进了旅游业的快速增长，特别是2020年京呼高铁的开通，让呼和浩特与其他城市的联系更加紧密，越来越多的人来到这里享用美味佳肴。

在呼和浩特，最热闹的莫过于大召西侧的塞上老街。穿过偌大的大召广场，就会来到塞上老街，这里一年四季都涌动着川流不息的食客和游人。

白天，人们游荡在各个召庙的建筑之间；夜晚，人们穿行在烟火氤氲的街巷里，在各色美食之间，品味着岁月传承下的珍馐美味。

呼和浩特的饮食基本以北方饮食为主，特色美食十分丰富，具有代表性的有：莜面、烤羊肉串、烧卖、焙子、羊杂碎、麻花、馓子、烤羊背子、烤全羊、涮羊肉、

"青城"美食风味多

烤羊腿、血肠、肉肠以及马奶酒、奶茶、奶皮子、奶豆腐、奶酪、牛肉干等，还有地方特色与传统风味完美结合的托县炖鱼、和林炖羊肉等。

由于呼和浩特曾是走西口的目的地，所以这里的美食也吸收了山西、陕西等地的一些饮食特色，在大召附近有美味的刀削面、饸饹面、剔鱼子等，这些美食会让你一饱口福，流连忘返。

焙子、烧卖冠青城

一座城市的魅力与这座城市的美食密不可分。每座城市都有自己颇具代表性的美食，这些独到的美食在无声中彰显着城市特有的味道，所以它们也就成了城市文化必不可少的一部分。

家住青城呼和浩特的市民，每天清早便会在遍布市区大街小巷的一些毫不起眼的小门脸房跟前排着队，等候着老板从那些极具辨识度的玻璃柜子里，把一块块外皮酥脆、入口筋道的面饼递到手里，此时，这座城市的空气里，四处

用土炉烤制焙子

弥漫着这种面饼散发出的香气。

这种混合了油香和麦香的面饼叫作"焙子"。

呼和浩特人做焙子的历史已经有几百年了。

在明朝隆庆、万历年间，土默特部首领阿拉坦汗在阴山以南、黄河以北的土默川平原上破土建城，起名"呼和浩特"，意为"青色的城"，明朝政府赐名"归化城"。据说，当时阿拉坦汗已年老多病，城池主要由其夫人三娘子主持建造，三娘子为人谦和，深受部族民众喜爱，因此人们又将呼和浩特叫作"三娘子城"。

由于建造城池动用了大量的民夫工匠，吃饭问题便成了首先要解决的问题。当时宁夏地区发生旱情，有不少逃荒人流落到了土默川平原，三娘子听说其中的一些人擅长制作各种面食，于是把这些逃荒人召集在一起，委托他们负责建城民夫工匠们的伙食。

负责饮食的首领为了报答三娘子的

焙子、烧卖冠青城

收留之恩，竭尽所能地为建城民夫工匠们制作饭食，尤其是主食面点。当时锅灶稀缺，他们想出了一个办法，用平整的两块大石片夹住面团，在篝火上烘烤。这样烤出来的面饼不仅香甜松软，而且特别耐饥，深受大家喜爱。

据说，由于是在篝火上烘烤而成，所以当时人们将这种面饼称为"焙子"。

据说在清朝康熙年间，呼和浩特烧卖就已经走出内蒙古，当时北京、天津

呼和浩特市烧卖美食街

等地的很多饭馆都以"归化城烧卖""正宗归化城烧卖"的金字招牌来吸引顾客。所以呼和浩特素来有"无烧卖·不青城"的说法。

在呼和浩特，羊肉烧卖至今仍是最受欢迎的早餐。

羊肉烧卖使用草原羊、巴彦淖尔的雪花粉、山东的大葱、本地产的胡麻油，几样简单食材的组合，便让喜食羊肉的青城人民欲罢不能。

早年间，归化城的烧卖是用特制的擀面锤（烧卖锤）把面和好、揉透，擀成极薄的荷叶皮，然后将新鲜羊肉切粒，配葱姜等作料拌成馅，再勾以熟淀粉，成为干湿适度，红、白、绿相间，香味扑鼻的烧卖馅；把馅放在烧卖皮里，然后将烧卖轻轻捏成石榴状，上笼蒸7—10分钟即熟。烧卖出笼时香气四溢。

好吃的烧卖肉质鲜嫩，无膻味，边口雪白，如同梨花开瓣，端上桌后，一个个整整齐齐地坐在笼屉里，个个敦实，透过灯光可以看到食材的影子。单个的烧卖像系着活结的乾坤袋，不紧不慢地释放出食材的鲜味，充分调动着食客的味蕾，用筷子夹起一个烧卖，你会发现透过薄薄的面皮竟可以感受到里面汁水的涌动。

刚出笼的烧卖

莜面、羊杂吃出名

塞外小城乌兰花小镇，位于四子王旗，这里有犀牛化石、旧石器遗址、阴山岩画和清代王爷府，除去这些承载着历史文化的厚重印记之外，这里还有让人垂涎欲滴的美食，其中属乌兰花的羊杂碎最为有名。

羊杂碎

从乌兰花向西是包头境内的达茂草原，向东是乌兰察布的辉腾锡勒草原，由呼和浩特、包头出发前往草原，只要经过国道，大家都会来到乌兰花小镇吃上一碗热气腾腾的羊杂碎，就像到成都吃火锅，到西安吃羊肉泡馍，到兰州吃拉面，乌兰花羊杂碎也渐渐成了人们到草原旅游必须品尝的美食之一。

小镇人有自己的美食哲学，不追求小巧精致，而是喜欢真实豪放地表达，这里的羊杂碎没有太多的点缀，他们认为那样会遮盖食物原有的味道。羊肚、肥肠、羊头肉的白色，加上羊心、羊肝、羊肺子的棕红色，色彩搭配相得益彰；在熬煮羊杂碎的过程中，再加入细细的土豆条，在红油和嫩绿的葱花、香菜映衬下，羊杂碎焕发出的新鲜亮丽令人垂涎欲滴。

近年来，随着旅游业的蓬勃发展，武川莜面，这种被当地人认为很普通的农家饭，随着旅游市场的开拓而名声大噪。

莜面宴

　　武川县位于阴山山脉的大青山北侧，黑黄交错的沙土、集中的雨水、长时间的日照成就了莜麦的生长。而用莜麦制作成的莜面从某种程度上来说只是土默川地区的一种传统小众吃食，但是经过祖辈们的代代传承，以及现代人对于莜面的加工，人们已经可以用莜面制作出很多种美食。具体而言，人们将武川莜面制成五大系列的食品——蒸、炸、氽、烙、炒，有40多个品种；其制作方法也多种多样，搓、推、擀、卷各具特色，其中仅蒸莜面就有莜面窝窝、莜面鱼鱼、莜面墩墩、莜面圪团等近20种。

羊杂锅

博采众长包头菜

　　包头市位于内蒙古中部，古老的中原农耕文明、北方游牧文明与现代的工业文明在这里完美交融，形成了包头开放、包容、创新的城市性格和饮食文化。

　　包头的饮食特点带着浓郁的西北风

黄河鱼

味，以包头和周边地区的主产牛羊肉、面食等为主，与首府呼和浩特的饮食十分相似。

清末，包头成为我国西北皮毛集散地，许多豪绅巨商往来穿梭，因此饮食名店、名师、名菜也就应运而生。老包头名菜虽不是历代珍馐，也没留下多少名人墨迹，但它蕴含着多个民族的文化传统，博采北方各省饮食文化的精华。

中华大地饮食文化博大精深，老包头的饮食，也自有它独特的魅力。

黄河流经包头，黄河鲤鱼早已闻名天下，尤其每年春天，黄河解冻开河时的鲤鱼又肥又鲜。包头人用鲤鱼烹制的五溜鱼、松鼠鱼、红烧鱼、糖醋鱼、清蒸鱼都颇有名气，作家冰心曾在其《平绥沿线旅行记》中写道："食黄河鲤鱼清腴肥嫩，入口即化，其味又美，只有西湖醋鱼可以仿佛一二"。

早年间，当地义和轩的名师武凤鸣、刘来宝用牛羊下水烹制的烧羊脑、烧脊髓、烧肚片、油爆肚等很受顾客青睐。

武凤鸣的徒弟王广顺烹制的烧罗汉珠最为有名。烧罗汉珠是将鸡脯肉捣成肉泥，加鸡蛋清粉团搅拌好，下开水锅汆成丸子，捞出后加油炒，再加玉兰片、口蘑片、油菜片、胡萝卜片，色泽鲜艳，味道极佳。

二十世纪二三十年代，河北徐水人刘子和、刘生贵等人开设了包头最大的

可汗香烤牛腕骨

京津饭庄聚德成。聚德成最有名气的菜肴是海参席。即使顾客吃便餐，也会品尝几道海参席中的菜，如烩海参、烩三鲜等。最有特色的是烩乌鱼蛋，乌鱼蛋产于山东日照沿海，聚德成名师张仲三的徒弟黄永澄在乌鱼蛋的发制、烹制上别具特色，软而不烂，食之回味无穷，1956年全内蒙古烹饪比赛中，烩乌鱼蛋获得第一名。

城市美食解乡愁

包头老茶汤经过代代传承，如今已经成了当地的特色小吃，并成为包头市非物质文化遗产。说是老茶汤，但原料中并没有茶叶，只是制作工艺与沏茶有异曲同工之妙，使其散发出类似沏茶的香气，从而命名为茶汤。

包头老茶汤主料是小米面，最具特色的工具是"龙嘴大铜壶"。制作茶汤的师傅右手执壶，左手执碗，壶身一倾斜，只见壶嘴与碗口间架起一条水线，沸水从茶壶流出的瞬间，茶壶嘴上的飞天小龙吞云吐雾般仿佛真的飞上了天。收手时，一碗小米面瞬间变成了热腾腾的杏黄色米羹。加上红糖、白糖、葡萄干、枸杞、山楂、瓜子仁、芝麻等，一碗八宝茶汤就呈现在你的眼前，亲眼看着这神奇的技艺，吃在嘴里的是香甜，留在心里的是对传统手艺的敬意。

包头市内能品尝小吃的地方有"塞外第一街"钢铁大街和包头科技大学美

食街、乔家金街、包百商业步行街等，这些地方汇集着许多风味餐馆、夜市等，在这里，你能吃到臭豆腐、烤鱿鱼、烤冷面、麻辣串、肉夹馍、鸭血粉丝汤、辣羊蹄等，只有你想不到的小吃。

人们还可以移步民族东路美食街、富强路美食街这些地方。在这里，湘菜、东北菜、西北菜、川菜、粤菜、山东菜、赣菜等各大菜系和生猛海鲜齐聚。

要是提起老包头美食，就得去包头东河区找，东河区是包头的老城区，令人回味的美食就藏在东河区的小巷子里。铁西猪肉排骨、羊王府的烧卖及东河北梁爆肚等美食，让一代代老包头人为之魂牵梦绕。

包头美食，记录着这座城市的历史变迁，还有乡土人情。在包头，还有很多老馆子，如马守疆老馆子，主推馓子卷饼，一张馓子卷着各种蔬菜，再加上各种酱料，一口下去，口感丰富且不油腻。包头的烧卖，在内蒙古地区也是相当出名，以皮薄馅美著称，来到包头的朋友

羊肉片

一定要尝尝这里的烧卖，推荐德兴源烧卖，还有源玺源的烧卖，羊杂、烧卖很地道，小菜丰富，就着店家自家腌制的腊八蒜，这样的搭配自是妙不可言。

中国火锅有南重庆、北包头之说，内蒙古绝佳的羊肉食材，成就了包头火锅业的快速崛起。小尾羊便是其中的代表，"好吃不沾料"的火锅，最传神的应该是那一锅"口味独特、营养丰富、药食同源"的锅底"神汤"。当然，吃羊肉火锅，自然不能少了"小肥羊火锅"。

当你走进包头，你会发现除了人们熟悉的小尾羊、小肥羊外，还有鲜羊城、三未源……包头的火锅店很密集，不论是传统的还是新派的，各家火锅店都有自己的特色。包头被誉为"中国羊肉美食之都"，这一殊荣，便是包头人将羊肉吃到极致的印证。

鄂尔多斯美食多

过去，鄂尔多斯人在饮食方面给外地人的感觉就是喝酒要大碗大碗地喝，吃肉要大口大口地吃，似乎只有这样才能品尝出酒的香醇、食物的鲜美。而今随着旅游业的发展，人们将鄂尔多斯传统特色美食不断融合与创新，让鄂尔多斯饮食文化丰富多样且别具一格，也让鄂尔多斯人世世代代传承的自由、好客、坦诚的精神特质，通过美食开始向四面八方传递。

2019 年，在《内蒙古味道》活动中，人们总结了鄂尔多斯的特色美食——"鄂尔多斯温暖 10 味"，包括烤全牛、羊背子、阿尔巴斯风干羊肉、鸿运牛头、迎亲套茶、排骨焖山药丸子、腌猪肉烩小白菜、准格尔六大碗、沙葱炒羊宝、鄂尔多斯小吃。其中迎亲套茶有奶茶、酸奶、酥油、奶皮、达西玛、撒子、枣泥饼、空壳饼，准格尔六大碗有酥鸡、扒肉条、丸子、焖肉、清蒸羊、樱桃肉，鄂尔多斯小吃有巧手花馍、豌豆豆面、驴肉碗托、黄米糕圈、沙葱土豆泥、小米凉粉、糜米酸粥。这"10味"中汇集了传统大菜、家常美味以及让人难以割舍的各种小吃。

清新的空气、纯净的水源、天然的牧草造就了阿尔巴斯山羊肉，它营养丰富、肉质鲜美，被称为"肉中人参"。在每年初冬，当气温在零度以下时，人们将宰杀的新鲜羊肉割成小条，挂在阴凉处，自然风干。到来年二三月份，人们便将其拿下来烤食、炖食或直接食用。阿尔巴斯风干羊肉肉质嚼劲十足，咸香不腻，一口咬下后会溢出鲜香的肉汁，满嘴生香。

鸿运牛头，是鄂尔多斯人招待贵宾的一道大菜。它选用黄牛头卤制，入老卤水，经过煮—焖—泡—煮近9个小时的加工制作而成，牛皮软糯、胶质丰厚；牛脸细嫩，肥瘦相宜；牛肉筋道，耐嚼入味。牛鼻上的肉要献给最尊贵的客人，寓意牛气冲天。牛头肉可以直接入口，也可将其放入布袋饼里，加葱丝、黄瓜

诈马宴上的烤全牛

丝等同食，像是吃北京烤鸭一般。还可以蘸上蒜蓉辣酱、醋汁，包入生菜叶中食用，清口解腻又香嫩爽滑。

碗托，是从山西传到鄂尔多斯的面食小吃，在与当地美食不断融合后，渐渐的，碗托从街头小吃变成了备受追捧的鄂尔多斯美食，现在已经遍布鄂尔多斯的大街小巷，但最正宗的还是准格尔旗的驴肉碗托。人们通过洗生子、勾芡、上蒸、搅拌等工序，制作出富有地方特色的碗托。如果浇上一勺豆腐热汤，碗托会更加香滑软糯，入口会更加筋道爽口。对于鄂尔多斯人来说，碗托是一个很特殊的存在，是一种不可忘怀的带着时间沉淀的味道。一碗碗托里，盛着荞麦的清香，更承载着鄂尔多斯人对民间小吃的记忆。

酸粥，可谓是百家百味，各家是各家的酸，有微酸、臭酸、甜酸、醋酸等。内行的人说，这是一种手法，就像腌制

酸粥

烂腌菜，各家是各家的味道。做酸粥最讲究的是火候，有句行内话——急火捞饭慢火粥。开水沸腾后，将酸米置入锅中，慢火熬煮，边熬边将多余的水分舀出，此为酸米汤。熬的过程中要用勺子不停甩打搅拌，这样做出的酸粥才有光泽和精气。出锅的酸粥舀入碗中，稍稍冷却就可以吃了。酸粥吃起来酸甜可口，香味十足。如果加上炝出的扎蒙花大油、豆腐乳、烹调过的猪油唆子，酸粥的味道会更加香美浓郁。

荞面凉粉米凉皮大拌

「几字弯」上开河鱼

　　黄河开河鱼久负盛名，历来受人追捧，甚至历史上一些地方官员曾将黄河开河鱼作为贡品送往京城让皇帝品鲜。直到现在，开河鱼依然吸引着众多食客，所以每到黄河开河之际，人们总会去寻找能吃上最美味开河鱼的地方。在黄河开河鱼中，人们最喜欢的是开河鲤鱼，最有名的是内蒙古、山西、陕西的黄河开河鲤鱼。黄河鲤鱼的特点是嘴大、鳞少，肉肥味美，独具风味。

　　冬天，当黄河水面冰封之时，鱼处于休眠状态，很少进食和活动。经过一个冬天的净化，鱼身体中的一些异味物质渐渐溶于水，体内储存的营养物质，尤其是脂肪、肝糖的转化、消耗，让鱼的肉质更加鲜嫩、纯净、细腻，所以开河鱼具有最纯正的"鱼"味。

　　黄河鲤鱼在不同地方有不同的风味。

　　呼和浩特市托克托县的"托县炖鱼"是黄河沿岸、内蒙古中西部的一道名菜。

正宗的"托县炖鱼"以香而不辣的托县辣椒、八角茴香慢火炖两小时左右而成，整条鱼色泽鲜艳、香而不辣，全身各处味感均衡，没有不入味之处。细腻鲜嫩的鱼肉，会在与唇齿相碰时渗出淡淡的清香，这股清香瞬间袭向你的味蕾，引诱你的口水泛滥，让你欲罢不能。

每年初春，在包头市东河区南海湿地景区都会举办盛大的"黄河鲤鱼节"，当一条条十七八斤的黄河鲤鱼被端上餐桌时，用"鱼惊四座"来形容可谓恰如其分。包头黄河红鲤鱼个头大，肉质滑嫩，再加上当地传统的烹饪方法，造就了鲜香无比的独特风味。

在呼和浩特市清水河县，每年捕捞开河鱼的时间大概有一个月左右。在这里，人们吃开河鱼最常见的方法有两种，一种是将鱼收拾干净后切成段，放入适量的调料，静置几小时后放入蒸锅里蒸，蒸熟后的鱼口感十分的鲜，且肉质细、嫩、滑；另一种做法是同样切段后，先用猪油炝锅，后加水，再倒入适量的陈醋，放几个干红辣椒，然后把鱼段放入锅内，文火炖，时间越久越入味，炖熟后将鱼块捞出，在鱼汤里加入土豆条、豆腐和粉条，这样的鱼汤分外鲜美、爽口，且无腥味，如果泡一铲子糜米捞饭，那更是别有一番滋味。

铁板烧鱼

酿皮、烩菜、硬四盘

　　河套平原水草丰美，物产丰富，这里不仅有"塞上江南"的美誉，而且还有巴盟酿皮、杭后肉焙子等美食。

　　巴盟酿皮，是内蒙古享有盛名的传统小吃，也是巴彦淖尔地区特色风味小吃中最受欢迎的小吃之一，男女老少都爱吃，尤其受到女性朋友的青睐，对喜欢喝酒的人来说，酿皮更是一道必不可

巴盟酿皮

巴盟烩酸菜

少的美食。现如今,酿皮不再是一张桌子、几条板凳的街头小吃,而是已经登上各种大饭店、饭庄、酒楼,成为一种最常设的凉盘品种。从外地来巴彦淖尔的人,若要自己开车返回,一定要带上几份回去再拌作料的酿皮,和亲朋好友一道品尝分享。

在巴彦淖尔，有一道美食被称为"塞外人家的草根美食"，这就是著名的巴盟烩菜。在内蒙古西部逗留过的人，都知道大烩菜最受百姓欢迎，其中尤以巴盟烩菜的名气最大。

在巴彦淖尔当地，如果有人邀请你去他家吃烩菜，别以为只是吃菜而已，那可是肉做主角、实打实的肉加菜。

烩菜的特点是蔬菜种类丰富，每种蔬菜各有各的味道，各有各的色彩，各有各的形状，掺杂在一起"烩"成了一

河套"硬四盘"

道营养丰富、菜色好看，虽不前卫但很实在的美食。

走在巴彦淖尔各地，很多地方饭店的招牌菜都主打烩菜。每个店的风味不同、特色不同，但是无论你怎样做，都不失其原本的底色。只不过有人喜欢做得精致些，有人习惯做得简单些罢了。

在寒冷的冬天里，南方人习惯以辣椒下饭，以热汤暖身；而北方人除了有暖烘烘的热炕头，还有大盘热乎乎的烩菜来抵御严寒。排骨肥而不腻，酸菜酸香爽口，土豆绵软，粉条滑溜，配上一碗香喷喷的米饭，啃着排骨，大口吃菜、吃肉、吃饭，大碗喝酒，绝对是件幸福的事。

在河套地区的餐饮业中，还有一道名不虚传的美味佳肴——河套"硬四盘"。

河套地区土壤肥沃，水草丰茂，天然的、无污染的平原牧场成就了这里鲜美的肉制品。河套"硬四盘"通常是指红烧扒条肉、黄焖鸡块（酥鸡）、清蒸羊肉、牛肉丸子四道菜，它们分别以河套农家猪肉、鸡肉、羊肉、牛肉为主料，加鸡蛋、淀粉、葱、蒜和食盐等 10 余种调味品，经煮、蒸、炸等七八道工序而制成，然而加多少辅料、何时加便是河套"硬四盘"最为关键的技术。如果要制作成真空包装的硬四盘成品，还需要四五道生产工序。如此精挑细选、精工细作，造就了河套"硬四盘"与众不同的味道——红烧扒条肉肥而不腻、软滑适口，酥鸡外酥里嫩、香气扑鼻，清蒸羊肉清香爽口、味道鲜美，红烧丸子色泽金黄，真可谓色、香、味俱全。

羊肉粉汤味香浓

　　磴口县位于阴山南麓、黄河岸边。这里人文荟萃，百年来，来自山西、陕西、甘肃、宁夏等地的人长途跋涉来到这块沃土上谋求生路，他们在这里共同创造了磴口形态多样、相互融合的移民文化，也形成磴口人淳朴的民风、豪爽的性格，而这些最直接地体现在了一道道美食上。

　　当清晨第一缕阳光洒向这片土地时，

羊肉粉汤

大多数人会选择从吃一碗羊肉粉汤开始这崭新的一天。

人们常说磴口美食众多，唯羊肉粉汤难舍。熬制粉汤的羊肉肥瘦相间，不膻不腻；粉条晶莹爽滑，不粗不细。磴口人将这一荤一素转化成一道让味蕾产生愉悦快感的美食。

桌上的香油、咸菜和调味料个人可依自己的口味自行添加，配汤的油饼、白饼也可视个人喜好随意选择。汤汁，醇厚鲜香，除了因为羊肉天然的品质外，还有来自前一天晚上对羊肉的慢火细炖；筋道的粉条伴着鲜香的汤汁下肚，在花椒、辣椒和胡椒的催化下，一股热流会从头到脚散遍全身，此时毛孔顿开，舒爽从内到外，身体的满足会让精神产生愉悦。

窗外，人们行色匆匆；屋内，食物鲜香四溢，鲜香的味道隔着马路也能闻到，路过的人们往往会身不由己地闻香而止步，情不自禁地听从嗅觉和味蕾的召唤。一碗过后，如果人们仍意犹未尽，还可以免费续汤，直到食饱喝足满意离开，这是这片土地上特有的厚道。

磴口是移民之地，汇集八方先民，也交融各省乡情。

红油辣椒、薄薄的羊肉片与白萝卜片，你会寻找到兰州拉面的踪影；河套面粉烤制的白皮饼外酥里软，面香十足，泡在羊肉粉汤里别有一番风味，洋溢着羊肉泡馍的底蕴秦风；如果再倒上一股磴口自酿的陈醋，那走西口的曲调会绕

羊肉粉汤肉焙子

梁而来。羊肉粉汤浓缩山西、陕西等省几代移民难舍的乡情。它深厚的底蕴下是河套人智慧的变通和包容厚道的底色。

食物产生力量，也蕴含归属。所谓乡愁，就是将故乡的味道化作每日的烟火时常相伴。如今，羊肉粉汤已列入磴口美食，最著名的羊肉粉汤店也换成了新一代掌柜，但人们对它的钟爱依然如故。当年背着所有家当背井离乡来到这里的先辈们，在这片土地上留下许多开拓印迹。但无论人事怎样代谢，每天与羊肉粉汤的约定最为寻常。这道美食中蕴含的精神传承，已融入每个磴口人的骨血，即使人们离家千万里，那一碗羊肉粉汤的鲜香依旧会侵入肺腑，揪人心肠。

「百湖之乡」鸡勾鱼

　　磴口人讲究"无鸡不成宴，无鱼不成席"。这一方面是因为磴口以黄河为依，以湖泊为伴，被誉为"百湖之乡"，餐桌上不可缺少的当然就有鱼；另一方面，"黄河百害，唯富一套"，磴口地势平坦、

排骨勾鸡

土地肥沃，有了富足的物产，农村家家户户都要养猪养羊、养鸡养鸭，这也是家庭主妇们厨房里肉类和蛋类的主要来源。有了丰富的食材，碚口人利用这些食材，创造了独特的加工技艺，首属就是将"鱼"这种水里游的和"鸡"这种地上跑的食材完美地融合在一起，形成了一道独具特色的美食——"鸡勾鱼"。

"鸡勾鱼"最早什么时候端上了餐桌已经无法考证，它可能源自山西、陕西、甘肃、宁夏的某个地方，也可能是各地饮食文化在碚口互相交融、互相影响的结果。多少年来，从妈妈女儿、婆婆媳妇的口口相传下流传至今。将鸡和鱼联系在一起，体现出的是碚口人憨厚淳朴、兼容并包的性格，也体现出了碚口人对美好生活的向往。在碚口人看来，鸡代表了吉祥如意、万事大吉，鱼则代表了年年有余、富裕安康，"勾"则意味着沟通、融合，"鸡勾鱼"代表着碚口人对未来美好幸福生活的期冀和向往。

　　做"鸡勾鱼"主要用炖的方法，人们用这种最原始的烹制方法，再加上最简单的调味料，制作出了十分诱人的美味。做"鸡勾鱼"首先要选好食材，鸡要自家养的笨鸡，鱼要黄河鲤鱼。制作时，先将猪油融化，然后把鸡肉放入锅中爆炒，投入葱、姜、蒜、花椒、辣椒等调味料，将鸡肉的香味煸炒出来后再加入适量的清水，最后将用盐煨制过的鲜鱼放到锅中一起慢炖。在慢炖过程中，

磴口金马湖国际垂钓中心

鱼肉的鲜美和鸡肉的浓香同时释放，融为一体。在炖的同时，人们还可以在铁锅四周贴上蒸饼，当锅里的鸡肉、鱼肉飘香之际，正是贴饼蒸熟之时。一道"鸡勾鱼"实现了食材的鲜香交融，也出现了一种不可复制的独特味道。

多年来，磴口的移民后裔们饮食习惯相互影响，用"勾"制的方法创造性地做出了如猪肉勾鸡、排骨勾鹅、猪尾勾兔等美食，它们的共同特点是色泽油亮、肉质绵香、回味无穷。

食物的味道，直白而单纯。磴口人用一个"勾"字串起的是家乡的味道、水的味道、阳光的味道，也有时间的味道、乡土的味道。这些味道，已经在漫长的时光中和故土、乡情完美融合在一起，让我们几乎分不清哪一种是滋味、哪一种是情怀。它就像一个味觉定位系统，一头锁定了现在生活的土地，一头牵绊着记忆中的故乡。

阿拉善烤全羊

　　阿拉善境内沙漠广布，沙漠中生长的沙葱等植物在人们的精心制作下都成了盘中美味，驼峰、驼掌更是阿拉善美食中的代表，无论是爆炒、红烧还是炖汤，滋味都是一绝，是人们款待贵客的佳肴。而阿拉善烤全羊，则是一道阿拉善特有的美味佳肴，它皮酥肉嫩、肥而不腻。在 2008 年，阿拉善烤全羊制作技艺经国

烤全羊

务院批准列入第二批国家级非物质文化遗产名录。

相传，阿拉善烤全羊工艺是清朝康熙年间阿拉善第一代王爷和罗理率部从新疆移居阿拉善时带入的。之后，第三代王爷罗卜藏多尔济因战功卓著而被赐封驸马亲王并建王府于北京，当时王府中的厨师吸收借鉴了北京"焖炉烤鸭"技法，对烤全羊的制作技艺进行了创新，并将制作技艺带回阿拉善，从而形成了阿拉善烤全羊的独特风味，至今已有 300 多年的历史，过去仅限王府膳房烘制，用于家宴及招待贵宾。

在这 300 多年的漫长历史中，阿拉善烤全羊的制作技艺不断发展和演变，融入地方特色，成为一道阿拉善地区特有的美食。而这份"独有"与阿拉善这块宝地的自然环境和气候分不开。制作阿拉善烤全羊时要选用阿拉善上种羊，其肉质细嫩无膻味，还要用梭梭做燃料，梭梭火力强而持久且无异味，这两点决定了阿拉善烤全羊的独特性。

烤全羊的吃法也很独特，先将烤制的羊放置在大盘内，抬给客人观赏，增强人的食欲，然后人们由表及里，按皮、肉、骨顺序逐样品尝。阿拉善烤全羊以肉为主，但如果辅之以荷叶饼、小葱、面酱卷而食之，也是十分的美味。

当你走进苍天般的阿拉善，你会发现斑斓的色彩让人流连忘返，斑斓的美食更让人口舌生津。

卓资山熏鸡很有名

卓资山熏鸡

　　乌兰察布市区位优越,是连接东北、华北、西北三大经济圈的交通枢纽,也是中国通往蒙古国、俄罗斯和东欧的重要国际陆路通道。乌兰察布不仅有着草原的奶香、走西口的面韵,还有来自全国各地的风味小吃。

　　卓资山熏鸡是内蒙古自治区乌兰察布市卓资县的传统名食,有百年的历史,

卓资山熏鸡

是全国三大名鸡之一，以个大体肥、色泽红润、味道鲜美、肉质细嫩闻名于华北各省。而几条途经卓资县的铁路线，如京包、包兰、包太等更是将卓资山熏鸡的美名带到了全国各地。

卓资山熏鸡的生产和加工，还要追溯到百年前。在20世纪初，由于这一带的鸡个大肉嫩，人们开始将其加工成卤鸡出售。当时，卓资山镇里仅有三四户人家加工卤鸡，只是向周围村镇和来往于平绥铁路的客运列车上的乘客出售。但是由于工艺简单、味道一般，当时的卤鸡远远谈不上什么名气。

20世纪30年代初，河北宣化的李珍师傅来卓资办起了第一家熏鸡铺。他们取河北宣化熏鸡和卓资山卤鸡之长，经过长期摸索，创造出了卓资山熏鸡独特的制作工艺，其特点为色泽红润、肉质酥嫩鲜美，色、香、味皆佳。卓资山熏鸡的知名度和销售量与日俱增。

制作卓资山熏鸡要选用当地特有的红羽边鸡，加多种调料，再经百年老汤熬煮，温火慢炖，柏木熏制而成。加工秘诀之一，就是保留的那锅"老汤"。传统老汤鲜味均衡、香味悠长。使用年限越久汤汁中所含的营养成分、芳香物质越丰富，卤煮出来的食物自然也就风味更佳。

近些年，卓资山熏鸡已经走出县城，富有生意头脑的当地人开始在全国各地经营连锁加盟店。

卓资山熏鸡作为地方有名的特产，曾多次参加各类展会并获奖。1956年在全国熟食制品展览会上，卓资山熏鸡同德州扒鸡、道口烧鸡并列为全国"三大名鸡"，从此声名远播；1986年被评为内蒙古自治区名优特产品；1989年在全国熟制品评比会上获优秀产品称号，名列全国地方禽制品榜首，并被载入现代《食典》和《辞海》之中。

虽然卓资山熏鸡产业不断发展，但是卓资山熏鸡的味道始终如一，让人回味、留恋。

丰镇月饼老味道

丰镇月饼历史悠久，它焦黄松软、香脆可口、绵甜悠长、油而不腻，具有独特的北方风味。

丰镇市地处河北、山西、内蒙古三省区交界处，历史上，来来往往的客商多以此地为落脚点，素有"塞外古镇、商贸客栈"之称。清朝乾隆年间，政府

丰镇月饼

因招兵垦荒，在丰镇设庄，以兴隆昌盛之意，取名为隆盛庄。为开荒拓垦而来的大批山西、河北等地工商农户聚集于隆盛庄，勤勤恳恳，各谋生业，繁衍生息；去往后草地的各地客商途经于此，都会补充一些干粮后继续赶路。到嘉庆年间，隆盛庄已形成规模较大的食品加工业，当地最有名的干货铺上三元的月饼更是让人赞不绝口，上三元的月饼就是丰镇月饼的雏形。经过200多年的不断发展，现在的丰镇月饼仍然广受人们喜爱，这首先得益于制作月饼的原料。

制作丰镇月饼的白面和胡油都是地道的本地产品。特别是胡油，对于月饼的口感至关重要。胡麻生长在当地，加工在当地，榨出的油甘醇、厚实、味浓，用它加工出来的月饼口味浓香。胡油和食糖在高温下融合，用其和面，揉成面团，做成扁圆形状烤制。成品不但酥松，而且层次分明，这是其他地方的月饼所不具备的特点。在烤制过程中，由于油的传热作用，月饼会产生香、脆、酥、

丰镇月饼老味道

丰镇月饼

松的品质和味道。因此，丰镇月饼流传200多年而不衰。

丰镇月饼的独特还要归功于丰镇的优质地下矿泉水。深井泉水加上丰镇的胡麻油、大碴子碱，它们相互作用、相互磨合制作出了具有本土气息的丰镇月饼。

现在的丰镇月饼不仅保留了过去的"老味道"，而且出现了多种新口味。在规模化生产中，有些工序仍保持传统的人工操作。如，手工揉面剂，就是为了保证传统月饼应有的层次感和口感；牙签扎眼儿放气，是为了让月饼由里而外被充分烤制。传统的手艺，实在的原材料配比，不断地创新，这些成就了丰镇月饼的美名，也让生活在这里的人始终对丰镇月饼念念不忘。

丰镇月饼没有华丽的包装、精美的图案，甚至从外观上看还有些粗糙，但有的是它的酥软，它接地气的形状和香气。它虽然看上去有些土气，但经得起味觉的考验，油而不腻，酥而不干，潮而不虚，所以即使近年来许多地方都有丰镇月饼店，但他乡的人无论如何打造丰镇月饼的招牌，都敌不过丰镇产的月饼，因为丰镇月饼是用丰镇的水糅合了丰镇泥土的清香。

每年的中秋节前夕，陈旧的古街窄巷，因为弥漫着浓郁的月饼香味，苍凉的青石板路及古四合院也变得格外深沉娇美，充满了历史的凝重和家的感觉，尤其是行走在漆黑的深夜，小巷深处灯火通明的作坊，会让你倍感温暖。

　　游荡在古镇的月饼街，忘情地呼吸着古朴的月饼味道，在摩肩接踵的人流中，在甘甜醇香的月饼气息中，在人们的彼此寒暄中，古镇荡气回肠的历史和独特的美食凝结成的舌尖文明，不断拍打着你汹涌的情感，让你心驰神往，每一寸肌肤，每一个细胞，每一根神经都是无尽的愉悦和满足。

天冷就吃涮羊肉

古人造字时，将"鱼"和"羊"放在一起，创造出了"鲜"字。鱼肉之"鲜"对于大家来说已经不足为奇，如今，羊肉的"鲜"也被更多人接受。在很多地方，人们可以看到经销"内蒙古羊肉"的招牌。有的还具体到某一产地，如"锡林郭勒羊肉""苏尼特羊肉""乌珠穆沁羊肉""巴

铜锅涮羊肉

尔虎羊肉""阿拉善羊肉"等。现在，羊肉的来源逐渐增多，它也作为肉食珍品被摆上了各地民众的餐桌。

涮羊肉，是居住在北方地区的人们冬天里最喜爱的食物之一，而且如今在南方地区也是火得不得了。

在内蒙古出土的辽代早期壁画中，描述了1000多年前契丹人吃涮肉的情景：3个契丹人围火锅而坐，有人用筷子在锅中涮肉，火锅前的方桌上有盛着肉的铁桶和盛着配料的盘子。南宋人林洪在其所著《山家清供》中提到了涮羊肉。他原本是对所吃"涮兔肉"极为赞美，不仅详细记载兔肉的涮法、调料的种类，还写诗加以形容，诗曰："浪涌晴江雪，风翻晚照霞"。这是由于兔肉片在热汤中的色泽如晚霞一般，故有此诗句。林洪也因此将"涮兔肉"命名为"拨霞供"。还需注意的是，他在讲完涮兔肉后又说"猪羊皆可作"，或许，这是有关涮羊肉的最早文字记载了。按照林洪的记载，当时是把肉切成薄片后，先用酒、酱、

涮羊肉时的各种调料

辣椒浸泡，使肉入味，然后在沸水中烫熟，这同今天的涮法还有些不一样。

还有另外一种说法，认为涮羊肉又称"羊肉火锅"，始于清初。有明确记载的是到了清朝之后，经过康熙、乾隆等时期的严格规范,传统涮羊肉的材料、工艺和食用方法逐渐确定。在清乾隆年间，乾隆皇帝举办过几次规模宏大的"千叟宴"，其中就有羊肉火锅这道美食，后流传至民间。

近年来，由涮羊肉引领的羊肉消费热潮一直在持续升温。内蒙古大草原上的羊肉因肉质鲜美，没有膻味，吃起来格外鲜香，所以很受人们喜爱。

人们在切肉时将肉片切得薄厚适宜，这样既可快熟，又能保持肉片鲜嫩多汁的口感。一片羊肉要挺挺阔阔，立盘不掉，卷幅如浪涌拍岸，挑起如美人展扇，

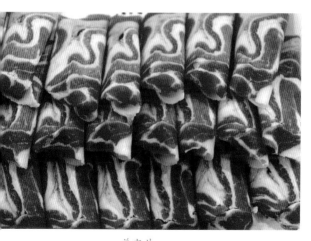

羊肉片

才会有瘦而不柴、肉香经嚼的弹性口感。羔羊肉可以切成厚一点的肉片，成年羊肉可以切得薄一点。

还有一种传统做法是由厨师将整羊胴体亲自剔骨，以保持优质肉块的完整性。肉片顺纹切，以利于尽量保留多汁，避免吃起来觉得发糙发干。还要坚持一片一涮，把成熟度、鲜嫩度、多汁性、营养性保持到最理想状态。如果变成"大锅煮"，不仅肉片老化或夹生，而且肉内的营养和汁水都会流失到汤里。

调料，个人可根据个人喜好调制，但不可太辛辣，防止压制住羊肉的鲜香味，芝麻酱通常是涮肉店里自己做。近些年有些店家还调配出了花生酱。芝麻主香，花生主甜，比例有三七、四六、二八之分，上面点缀一层腐乳汁和野韭菜花。肉滚而过，腐乳汁香润去膻，韭菜花细密辛辣，是草原的味道。

《本草纲目》记载，羊肉有益精气、疗虚劳、补肺肾气、养心肺、解热毒、润皮肤之效。唐代孟诜的《食疗本草》

中也记载"凡味与羊肉同煮，皆可补也"。

　　而今，一到天冷时一家人或几个好友便会围坐一圈，吃一顿火锅，这时一切的烦恼难说都会被抛到九霄云外，仅剩这一口的美味。

一碗奶茶乳香飘

北方气候寒冷，滚烫的奶茶可以帮助人们驱除寒冷。

奶茶风味独特，奶香浓郁，益于健

奶茶

飘香炒米

康。在热乎乎的奶茶里添上一勺酥油，
酥油立即化作一滴滴黄亮晶莹的油珠，
这时奶茶的味道会更加独特。当茶碗里
的奶疙瘩、奶皮子、油炸果子被泡得微
微发胀，多种风味一同融入奶香，喝上
一大口，咸中带甜、绵甜爽滑。

　　有学者认为，蒙古族与茶文化的接

一碗奶茶乳香飘

触，大致应与契丹等北方部族相似，即在 8—10 世纪左右；而形成自己的茶文化并有一定的发展，是在 13 世纪民族大融合时期。到清初，通过城镇集市和旅蒙商，蒙古族人很容易得到中原地区生产的砖茶。用砖茶熬制的奶茶，风味独特，最受蒙古族人欢迎，很快奶茶就遍及草原，成为人们每日不可或缺的饮品。清代大史学家赵翼，生活在雍正至嘉庆年间，他曾 4 次扈从乾隆帝到今承德地区的木兰围场狩猎，在其所著的文

奶茶及奶制品

字中，曾记叙了他在木兰围场亲耳听到蒙古族人讲牧民的日常饮食："寻常度日，但恃牛马乳。每清晨，男、妇皆取乳，先熬茶熟，去其滓，倾乳而沸之，人各啜二碗，暮亦如此"。可见，当时奶茶的做法和饮法已经和今天没有多大差别。

其实，生活就是如此简单，一碗热热的奶茶，一缕暖暖的阳光，朴素而真挚，清新而自然。

赤峰对夹华子鱼

　　赤峰是中华文明的重要发祥地之一，灿烂的文明传承，让这里的饮食依时而变，智慧灵动；厚重的历史文化，让这里的人们用至精至诚的心意烹制食物；富饶的土地，让这里的食材天然绿色、优质多样；独特的地理位置，让这里的饮食习惯兼具地方特色和东北风味之长，如哈达饼、哈达火烧、赤峰对夹，还有具有地方特色的敖汉拨面、锦山熏鸡、杏仁乳、马奶酒、沙棘饮料……

达里湖

在众多美食中，赤峰对夹是当之无愧的赤峰美食名片，亦是赤峰人乡愁的寄托。

据说，这种小吃是由赤峰非常有名的哈达火烧与驴肉火烧、宫廷熏肉相结合而创制的。

赤峰对夹好吃的关键：一是烧饼的起酥程度，二是熏肉的味道。正宗的赤峰对夹，外皮金黄，层次分明，香酥脆口，肉质细腻、瘦而不柴、肥而不腻、余味悠长！2017年10月，赤峰对夹被认定为"内蒙古自治区非物质文化遗产"。

位于赤峰市克什克腾旗贡格尔草原西南部的达里湖，意为"像大海一样宽阔美丽的湖"，享有我国第三大天鹅湖的美誉。独特的高原气候、特殊的半咸苏打水质、纯天然无污染的自然环境，使得达里湖盛产的华子鱼营养丰富、肉质细腻，获得国家农产品地理标志保护登记。华子鱼个头不大，当地人最喜欢的烹饪方式是干炸，高温迅速锁住鱼肉的鲜美味道，使肉质达到最佳呈现。诱

赤峰对夹华子鱼

人的金黄色泽，外酥里嫩的口感，留给人难以忘怀的鲜美味道。华子鱼多在春冬季捕捞，冬捕场面壮观、气氛热烈，是冬季一道亮丽的风景线。

无可复制的地域，独一无二的味道，让赤峰人的美食形成了独特的魅力和个性。

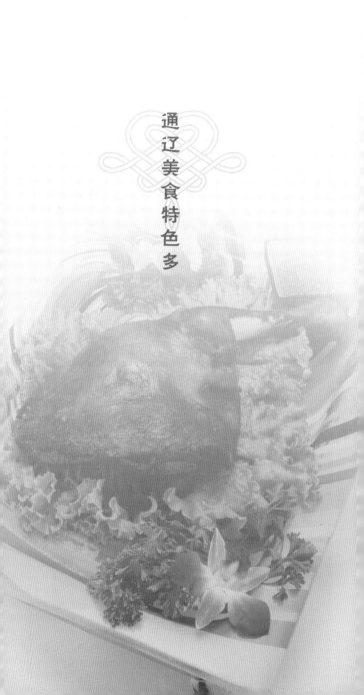

通辽美食特色多

爱上内蒙古·味蕾盛宴

通辽地处科尔沁草原腹地，在这片富饶辽阔的土地上，积淀着源于游牧民族采集、渔猎、游牧生产方式下形成的饮食文化，又保留着来自农耕文化和城市文明交融汇聚的饮食特点，这些灿烂

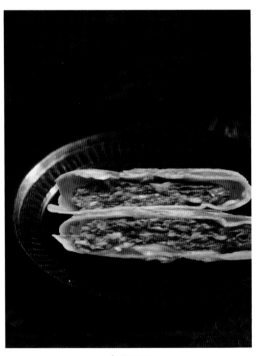

牛肉馅饼

多元的饮食风格，让通辽美食生动地表达着中国蒙餐之都的独特味道。

世界三大玉米种植黄金带之一，全国闻名的"黄牛之乡"，国家重要的商品粮基地和畜牧生产基地的荣耀，让通辽的馅饼、荞麦面、黄玉米、肥牛涮锅等朴素的美食有了更多"珍味"的记忆。这些记忆，不仅仅是天然、绿色、无污染的优质食材的集萃，还在于每一道食物蕴含着的人与自然、人与社会、人与亲情的美好故事。

历史上，"科尔沁蒙古馅饼"曾经是清朝孝庄文皇后和康熙、乾隆皇帝喜爱的食品。相传在康熙三年（1664年），孝庄文皇后思乡心切，遂派遣大学士李光第前往科尔沁部代自己祭祖。席间，人们奉上以蒙古馅饼为代表的传统主食，李光第对蒙古馅饼大加赞赏，作诗吟道："皮薄如纸可见馅，香胜乳饼不腻人，蒙古馅饼独一味，美馔如饴可伴君"。可见当时的蒙古馅饼精美鲜香不同一般。

"科尔沁蒙古馅饼"面坯选用优质小

麦粉，馅心料以科尔沁黄牛肉为主，也有羊肉、猪肉、素馅等，面坯调制较软，并经几十分钟的饧面过程，制作成形后辅以干面，将裹足了馅料的圆圆饼坯，用双手轻轻拍压，不破不溢，皮薄如纸，再用拿捏有度的手法将软软的饼坯放入锅中，两面煎至金黄色，质地酥软，满口留香。

蒙古族自古就有晾晒牛肉干的习俗，这一古老习俗延续至今。传统的牛肉干制作是用火烤，经过自然风干，牛肉去掉了腥膻，融合了大自然的味道，火烤会让牛肉干自身的油脂浸透滋润产生肉质变化，成就外干里润、香气四溢的美味佳肴。

随着时代的变迁，通辽牛肉干在保留传统手工艺的基础上，精选当地特产黄牛腿肉，结合现代工艺配料，经过腌制、晾晒、油炸等工序，创新推出多种口味的"通辽牛肉干"。通辽牛肉干干香略软、色泽红润、肉质柔韧，有嚼劲，更香口，2017 年被中国烹饪协会授予"中国地域十大名小吃"称号。

通辽有着悠久的荞麦种植历史，无可复制的地域特点造就了库伦旗不可多得的优质荞麦；充满想象力的奈曼旗拨面，让中国荞麦美食之乡奈曼旗多了一缕清风明月般的餐桌文化。特殊的地理环境和气候特点，形成了通辽荞麦独特的品质，蛋白质、淀粉和粗纤维含量高，脂肪含量少，富含氨基酸和多种微量元素。优质荞麦原产地的自豪，使每一个通辽人都会说出若干种荞面的吃法，饸

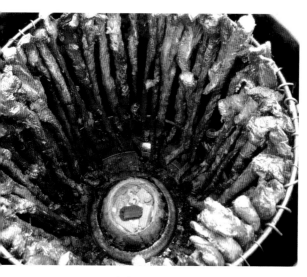

烤牛肉干

饹、拨面、饺子、猫耳朵⋯⋯特别是荞面饸饹，以其悠久历史和家家都会做、户户味不同的独特魅力，让通辽荞面充满灵气和生命力。荞面饸饹，是将面粉、荞面放入容器内搅拌均匀，加入水和成面团，用饸饹床子压入锅内开水煮熟，捞出放入碗内，浇上面卤即成。荞面饸饹不挑卤子，无论是简单的腌芥菜清汤，还是最受欢迎的酸菜肉丝卤，都让人唇齿留香，回味无穷。

呼伦贝尔美食汇

　　呼伦贝尔地域辽阔，自然资源富集，生态环境优美，拥有目前中国规模最大、最完整的自然生态系统。境内盛产的呼伦贝尔草原羊、三河牛、三河马、非转基因大豆、玉米、油菜、蓝莓、木耳、榛子等享誉国内外，是全国发展绿色食

布里亚特包子

西餐沙拉

品产业环境条件最好的地区之一。

呼伦贝尔人的饮食习俗，普遍以喝奶茶、食牛羊肉为主，这与当地蒙古族、达斡尔族、鄂温克族、俄罗斯族的饮食风俗有关，所不同的是，汉族人家更多的是吃一些蔬菜。改革开放以来，呼伦贝尔的饮食习俗也不断发生变化，除了传统的烤全羊、涮羊肉、锅茶这些外，各市区旗县也都出现了很多极具地方特色的风味小吃。

　　距离海拉尔不远的满洲里，在美食餐饮上基本是中西合璧，这里既有正宗的川菜、东北菜和其他地方的特色美食，也有异国餐厅，作为东方的胃，偶尔尝试一下分量大、油脂丰厚、重口味的俄式饭菜还是不错的。

　　这里的俄罗斯餐厅非常多，不用出国就能品尝到地道的俄餐。俄罗斯菜的种类繁多。汤、沙拉、肉类和土豆泥无不显示着俄罗斯人豪放、宽厚的性格。

　　呼伦贝尔以最醇香的美味，正在成为中国北方最值得探寻的美食之地。

至尊黄油

后　记

在中国版图上，内蒙古自治区如厚实的脊梁挺立在北方。这里有壮丽神奇的自然风景、独具魅力的人文景观、特色浓郁的民俗风情、丰富多元的旅游文化；这里的人民团结一心，在中国共产党的正确领导下，沿着中国特色社会主义道路不断前进，经济社会发展实现历史性跨越。

内蒙古人民出版社组织策划的这套全方位展示内蒙古风采的《"亮丽内蒙古"文化普及口袋书》，在内蒙古自治区党委宣传部和内蒙古出版集团的精心指导和大力支持下，成功立项并入选"亮丽内蒙古"重点图书出版工程。能够参与丛书的编写，我深感荣幸，感谢内蒙古人民出版社给我提供了这样的机会。

由于时间仓促，加之笔者水平有限，书稿不尽完美，在编校出版过程中，内蒙古人民出版社民族历史文化读物出版中心的编辑老师付出很多心血，她们认真负责、精益求精，使丛书在短时间内保质保量出版，在此，对各位编辑老师表示深深的谢意。

希望这套口袋书可以向读者展示一个真实生动、色彩斑斓的内蒙古，让更多的人了解内蒙古、认识内蒙古、爱上内蒙古。

编者

2021 年 9 月于呼和浩特市